Les mystères
du château hanté

Pour Will, le vrai magicien au cœur du chêne.

Titre original : *Haunted Castle on Hallows Eve*
© Texte, 2003, Mary Pope Osborne.
Publié avec l'autorisation de Random House Children's Books,
un département de Random House, Inc., New York, New York, USA.
Tous droits réservés.
Reproduction même partielle interdite.
© 2006, Bayard Éditions Jeunesse pour la traduction française
et les illustrations.
© 2009, Bayard Éditions pour la traduction française
et les illustrations.

Conception et réalisation de la maquette : Isabelle Southgate.
Illustration de couverture et illustrations intérieures : Philippe Masson.
Colorisation de la couverture, illustrations de l'arbre, de la cabane
et de l'échelle : Paul Siraudeau.

Loi n° 49-956 du 16 juillet 1949
sur les publications destinées à la jeunesse.
Dépôt légal : juin 2006 – ISBN : 978-2-7470-2034-3
Imprimé en Allemagne par CPI – Clausen & Bosse

La Cabane Magique

Les mystères du château hanté

Mary Pope Osborne

Traduit et adapté de l'américain
par Marie-Hélène Delval

Illustré par Philippe Masson

SIXIÈME ÉDITION

bayard jeunesse

L é a

Prénom : Léa

Âge : sept ans

Domicile : près du Bois de Belleville

Caractère : espiègle et curieuse

Signes particuliers : ne manque jamais une occasion d'entraîner son frère Tom dans des aventures mouvementées, sans se soucier du danger.

Tom

Prénom : Tom

Âge : neuf ans

Domicile : près du Bois de Belleville

Caractère : studieux et sérieux

Signes particuliers : aime beaucoup les livres, qui l'aident à se sortir de situations périlleuses.

Les vingt-quatre premiers voyages de Tom et Léa

Tom et Léa ont découvert dans le bois de Belleville, perchée en haut d'un chêne, une cabane pleine de livres. C'est une

cabane magique !

Elle appartient à la fée Morgane, une magicienne et une célèbre bibliothécaire qui voyage à travers le temps et l'espace pour rassembler des livres.

Nos deux jeunes héros ont déjà vécu des **aventures extraordinaires** ! Il leur suffit d'ouvrir un livre, de poser le doigt sur une image en souhaitant se trouver à l'endroit représenté, et ils y sont aussitôt transportés !

Dans le tome précédent, le magicien Merlin envoie Tom et Léa dans l'Autre Monde.

Souviens-toi :

les enfants devaient ramener la joie au royaume du Roi Arthur et délivrer trois chevaliers de la Table Ronde.

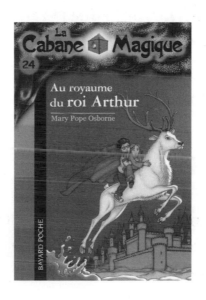

Nouvelle mission

Tom et Léa
doivent ramener l'ordre
au château du duc
où la terreur règne
depuis l'arrivée
des corbeaux.

Sauront-ils éviter tous les dangers ?

★ ★ ★ ★ ★ ★

Lis vite
ce nouveau « Cabane Magique »
et pars à la découverte
du château hanté !

Prêt à suivre Tom et Léa
dans leurs dangereuses aventures ?

Bon
voyage !

Halloween

– Et si je me déguisais en vampire, plutôt qu'en princesse ? dit Léa.

La petite fille et son frère, Tom, sont assis sur le perron de leur maison. Tous deux regardent les feuilles qui tombent en tourbillonnant chaque fois qu'un coup de vent agite les arbres.

– Ton costume de princesse est prêt, répond Tom. Et tu étais déjà en vampire l'année dernière.

– Je sais, mais j'ai envie de porter encore mes fausses dents.

– Alors, tu n'as qu'à te déguiser en princesse-vampire !

Tom se lève et s'apprête à rentrer :

– Bon, moi, il faut que je me fasse mon
maquillage de spectre !

– CROÂÂÂ !

Le garçon sursaute. Un énorme oiseau
noir vient de se poser sur la pelouse. Il
marche d'un air important sur l'herbe
humide. Ses plumes luisent dans la belle
lumière d'automne.

– Tiens, s'écrie Léa, un corbeau ! Qu'est-ce qu'il est gros !

Le corbeau penche un peu la tête et fixe les enfants de ses yeux ronds. On jurerait qu'il veut leur dire quelque chose ! Tom retient son souffle.

Soudain, l'oiseau déploie ses larges ailes et décolle. Il plane un instant dans le ciel, puis s'élance vers le bois de Belleville.

Léa bondit sur ses pieds :

– C'est un signe, Morgane est de retour !

– Je crois que tu as raison. Allons-y !

Tom et Léa traversent le jardin en courant ; les feuilles mortes craquent sous leurs pas. Ils remontent l'allée et entrent dans le bois.

Tout essoufflés, ils arrivent devant le plus grand chêne : l'échelle de corde est là, qui pend le long du tronc. La cabane magique les attend.

– C'était bien ça ! murmure Léa en souriant.

Elle grimpe à l'échelle ; Tom la suit.

La cabane est vide : aucune trace de la fée Morgane, la magicienne du château de Camelot !

– C'est bizarre…, marmonne Tom en regardant partout.

Un coup de vent secoue soudain le chêne. Une feuille d'automne jaunie entre par la fenêtre, flotte un instant, puis vient se poser aux pieds du garçon.

– Regarde ça ! souffle-t-il.

Tom ramasse la feuille. Quelque chose est écrit dessus en lettres d'or tarabiscotées, à la façon d'autrefois.

– Wouah ! s'exclame Léa. Un message !

Tom s'approche de la fenêtre pour mieux voir et il lit à haute voix :

À Tom et Léa du bois de Belleville
En cette Veille de Tous les Saints
Je vous donne rendez-vous
Au cœur du chêne.
M.

– M ? dit Léa. Morgane ne signe jamais ses messages d'un M !

– Tu as raison. Mais…

– … Mais Merlin, oui ! s'écrient-ils en même temps.

– C'est comme ça qu'il a signé la lettre pour nous inviter à passer Noël au château de Camelot[1], reprend Léa en désignant le parchemin, resté dans un coin de la cabane.

– Et, aujourd'hui, il nous invite pour Halloween !

1. Lire *Au royaume du roi Arthur.*

– Pour Halloween ? répète Léa. Ce n'est pas ce qu'il a écrit.

– Si ! Tu sais bien que *Halloween*, c'est un mot anglais qui vient de *All Hallows Eve*, La Veille de Tous les Saints, la Toussaint, quoi !

– Ah bon ! fait Léa. Alors, on y va ?

– Bien sûr !

Une invitation du plus grand magicien de tous les temps, ça ne se refuse pas !

– Seulement, reprend Tom, on y va comment ?

– Je parie qu'on y sera transportés grâce à cette feuille !

– Peut-être… On essaie ?

Tom pose le doigt sur les lettres d'or, et il déclare :

– Nous souhaitons aller à… euh…

– À l'endroit d'où provient ce message ! termine Léa.

– C'est ça ! approuve Tom en fermant les yeux.

Aussitôt, le vent se met à souffler, la cabane à tourner. Elle tourne plus vite, de plus en plus vite.

Puis tout s'arrête, tout se tait.

Au coeur du chêne

Tom ouvre les yeux. Un vent glacé s'engouffre dans la cabane.

– Tu as vu nos costumes ? dit Léa. Mais je ne suis pas habillée en princesse ! Ni en vampire, d'ailleurs…

La petite fille est vêtue d'une robe longue, ornée d'un corselet. Tom porte des chausses et une tunique de laine.

– On est à l'époque du roi Arthur ! devine-t-il.

Les enfants vont vite regarder par la fenêtre. La cabane est perchée sur un chêne gigantesque, qui domine une épaisse forêt. Le soleil descend à l'horizon, dans le ciel d'automne.

– D'après le message, reprend le garçon, on doit rencontrer Merlin dans le cœur de l'arbre.

Qu'est-ce que ça signifie ?

– On n'a qu'à descendre, décide Léa. On verra bien.

La petite fille va déposer la feuille à côté du parchemin. Puis elle passe par la trappe et saisit l'échelle de corde. Tom la suit. Arrivés en bas, les deux enfants font le tour de l'énorme tronc et… ils se retrouvent devant l'échelle !

– On est revenus à notre point de départ, constate Tom.

– Attends une minute ! murmure Léa. Qu'est-ce que c'est que ça ?

Elle désigne une longue fente dans l'é-corce. Il en sort un mince rayon lumineux.

Tom pose
un doigt sur l'écorce
et appuie. La fissure s'élargit légèrement.

– C'est une ouverture secrète ! s'écrie
le garçon.

Il appuie plus fort.

Craaaaac !

Une haute porte tourne soudain, et un flot de clarté coule par l'ouverture.

– Le cœur du chêne ! souffle Léa. On l'a trouvé !

Tom hoche la tête sans rien dire. Il est un peu impressionné.

– Eh bien, entre ! le bouscule sa sœur. Tous deux se glissent par l'étroit passage et pénètre dans l'arbre. Ils découvrent une salle ronde, éclairée par des centaines de chandelles. Le chêne paraît bien plus grand à l'intérieur qu'à l'extérieur !

« C'est incroyable… ! » pense Tom, éberlué.

Une voix profonde les accueille :

– Bienvenue, les enfants !

Un vieil homme à la barbe blanche, vêtu d'un manteau rouge, est assis sur un siège de bois sculpté.

– Bonjour, Merlin ! le salue Léa.

– Bonjour, Léa ! Bonjour, Tom ! C'est un plaisir de vous revoir, dit l'Enchanteur. Morgane et moi avons pensé que vous pourriez nous rendre un nouveau service.

– On en serait ravis ! lui assure Léa.

– De votre réussite dépendra l'avenir du royaume !

– De quel service s'agit-il ? s'inquiète Tom. N'oubliez pas que nous sommes des enfants !

– Vous avez fait tant de choses pour Morgane ! s'exclame l'Enchanteur. N'avez-vous pas obtenu les titres de Maître Bibliothécaire et de Magicien du Quotidien ? N'avez-vous pas déjà délivré le roi Arthur et ses chevaliers d'une terrible malédiction ?[1]

Le garçon hoche la tête :

– C'est vrai.

– Parfait ! Dans cette mission, vous serez aidés par un guide qui appartient à notre monde, le monde des légendes et de la magie.

– Vous partez avec nous ? se réjouit déjà Léa.

– Non ! Votre guide est jeune. Il est arrivé hier ; il m'apportait quelques livres de la bibliothèque de Morgane que je souhaitais emprunter.

1. Lire *La cabane magique* n° 24.

Merlin quitte son siège :

– Venez ! les invite-t-il. Ma bibliothèque est par là.

Le magicien pousse une porte et pénètre dans une autre pièce. Tom et Léa le suivent.

L'endroit sent le moisi. Des étagères croulent sous un amoncellement de parchemins et de livres. Un garçon d'une douzaine d'années, assis sur le sol, lit à la lumière d'une lanterne.

– Voici votre compagnon, annonce Merlin.

Le garçon lève la tête. Il a un visage piqueté de taches de rousseur, des yeux noirs pétillants. Avec un sourire malin, il fait :

– Ouaf ! Ouaf !

– Teddy ! s'écrie Léa.

C'est bien Teddy ! Leur guide n'est autre que le jeune apprenti de Morgane.

Merlin paraît étonné :

– Vous vous connaissez déjà ?

– Oui, explique le garçon. Nous nous sommes rencontrés à l'époque où je m'étais transformé en chien, en prononçant une mauvaise formule.

– Morgane a voulu donner une leçon à Teddy, enchaîne Léa. Elle l'a envoyé pour participer avec nous à quatre voyages magiques, avant de lui redonner sa forme de garçon. Il nous a sauvés, pendant le naufrage du *Titanic*, et aussi lors d'une attaque de bisons, chez les Indiens Lakotas !

– Grâce à lui, on a échappé aux griffes d'un tigre, en Inde, et à un incendie de forêt en Australie,[1] ajoute Tom.

– D'extraordinaires aventures, vraiment ! s'exclame Merlin. Je suis content que vous soyez amis. Cela facilitera votre nouvelle mission.

– Et c'est quoi, cette mission ? l'interroge Léa.

– Au-delà de ces bois, leur apprend Merlin, se trouve le château d'un duc.

Le magicien se penche et baisse la voix, comme pour leur confier un secret un peu effrayant :

1. Lire *La cabane magique* n° 16, 17, 18, 19.

– Vous devrez... remettre de l'ordre dans ce château.

Merlin regarde les enfants tour à tour, un éclat bizarre au fond des yeux.

« Remettre de l'ordre dans un château ? pense Tom. C'est tout ? »

– Qui l'a mis en désordre ? demande Léa.

– Vous le découvrirez bien assez tôt, reprend l'Enchanteur.

– Nous acceptons cette tâche avec plaisir, déclare Teddy. Nous la remplirons fidèlement.

Merlin fixe le garçon :

– Peut-être... Mais fais attention, petit. Tu composes trop hâtivement tes formules magiques. Au cours de cette mission, il te faudra choisir avec le plus grand soin les mots que tu emploieras.

– J'y veillerai ! promet Teddy.

Merlin s'adresse alors à Tom et Léa :

– Prenez garde, vous aussi ! Vous allez bientôt pénétrer dans la caverne de la peur. Comportez-vous avec courage, et vous resurgirez dans la lumière !

« La caverne de la peur… ? » pense Tom.

Merlin ramasse la lanterne et la tend à Teddy :

– Allez, faites vite ! Il faut remettre les choses en ordre dès que possible.

Teddy acquiesce d'un signe de tête. Puis il se tourne vers Tom et Léa :

– En route ! Suivez-moi !

Et ils sortent tous les trois du chêne.

Rokk

Il fait froid, dehors. La lumière baisse rapidement. Le vent s'est levé.

– On va vivre une nouvelle aventure, hein ? lance joyeusement Teddy.

– Oui ! se réjouit Léa.

Tom est tout excité, lui aussi, mais il se pose un certain nombre de questions.

– À ton avis, Teddy, demande-t-il, en quoi consiste exactement cette mission ?

C'est Léa qui répond :

– Merlin nous l'a dit : on doit remettre un château en ordre.

– Il veut peut-être qu'on passe un coup de balai et qu'on lave la vaisselle ! plaisante Teddy.

– Et qu'on fasse les lits ! ajoute Léa.

Ils éclatent de rire tous les deux. Tom, lui, n'a pas envie de rire :

– C'est sûrement plus difficile que ça,

grommelle-t-il. Et la caverne de la peur, vous l'oubliez ?

– Oh, ne crains rien ! le rassure Teddy. Souviens-toi que je m'y connais en magie !

– Tu pratiquais déjà la magie avant de rencontrer Morgane et Merlin, Teddy ? s'enquiert Léa.

– Bien sûr ! Mon père était un sorcier, et ma mère un esprit des bois. Elle venait de l'Autre Monde.

– Wouah ! C'est trop bien ! s'exclame Léa.

Le vent siffle dans les branches, arrachant des feuilles, qui tombent en tourbillonnant. Les pensées de Tom tourbillonnent aussi dans sa tête. Un magicien au cœur d'un chêne, des sorciers, un esprit des bois… Tout est si extraordinaire ici !

Au bout d'un moment, les enfants débouchent dans une vaste clairière.

– Halte ! ordonne Teddy.

Au-delà de la clairière se dresse un petit village, avec ses maisons aux toits de chaume. Des chandelles brillent derrière les fenêtres, de la fumée monte des cheminées et s'effiloche dans le ciel, emportée par le vent.

Teddy lève sa lanterne :

– En avant !

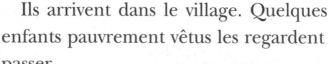

Ils arrivent dans le village. Quelques enfants pauvrement vêtus les regardent passer.

– Bonjour ! les salue Teddy. Pouvez-vous nous indiquer le chemin du château du duc ?

– Le château ? répète un gamin d'une voix apeurée. C'est par là. Suivez le sentier, et vous le trouverez.

– Il ne faut pas y aller ! leur crie alors une fillette.

– Ah ? fait Léa. Pourquoi ?

– Parce qu'il est arrivé quelque chose de terrible ! Et les corbeaux ont surgi !

– Quelqu'un a vu ce qui s'était passé ? demande Tom.

– Seulement la vieille Maggie qui travaille au château, dit la fillette. Il y a deux semaines, elle y est allée, comme d'habitude. Et elle est revenue en courant ! Elle était terrifiée !

– Elle dit que le château est plein de fantômes, reprend un gamin. Elle répète ça sans arrêt.

– Des… des fantômes ? balbutie Tom, la bouche sèche.

Teddy déclare, très sûr de lui :

– Moi, je n'ai pas peur des fantômes !

– Tu en as déjà vu, Teddy ? veut savoir Léa.

– Non, mais j'aimerais bien !

À cet instant, la fillette pointe le doigt :

– Regardez ! Les corbeaux ! Les revoilà !

Une nuée d'énormes oiseaux noirs vole
bas dans le ciel sombre. Les enfants du
village se mettent à crier. Quelques adultes
sortent des maisons. Une femme agite les
bras en hurlant :

– Partez ! Allez-vous-en !

Elle ramasse des pierres et les lance
contre les volatiles :

– Allez-vous-en ! Laissez-nous tranquilles !

Léa se précipite :

– Arrêtez ! Vous allez leur faire du mal !

L'un des oiseaux est touché par un pro-jectile ; il tombe.

– Oh non…, gémit Léa.

Les parents font rentrer à la hâte leurs en-fants dans les maisons ; les portes claquent, les volets se ferment.

Léa s'agenouille près du corbeau blessé. Tom et Teddy courent la rejoindre.

L'oiseau reste recroquevillé sur lui-même, les ailes pendantes, la tête baissée. Il pousse des petits cris plaintifs. Une des longues plumes de sa queue est tordue.

– Cou crououou ! fait Teddy. Cou crououou… !

Il explique à Tom :

– J'ai séjourné sur l'Île aux Oiseaux pour étudier leur langage. Je parle assez bien le pigeon, mais pas le corbeau.

– Ne t'inquiète pas, le rassure Tom. Ma sœur sait se faire comprendre de tous les animaux !

La petite fille caresse la tête soyeuse de la bête :

– Tu as mal, hein ? Je suis désolée ! Comment t'appelles-tu ?

– Rokk … ! croasse l'oiseau.

– Rokk ? C'est ton nom ?

– Rokk ! Rokk !

Tom donne un coup de coude à Teddy :

– Tu vois, je te l'avais dit !

Rokk émet de drôles de petits cris :

– Croac ? Croac ?

– Oui, dit Léa. Une femme t'a lancé des pierres. Elle avait peur de vous, je ne sais pas pourquoi. Tu as une plume cassée, et tu es un peu étourdi, mais tu n'as pas l'air blessé.

Rokk fait quelques pas avec précaution. Puis il bat des ailes et il s'envole :

– CROAC !

– Bravo ! l'applaudit Léa.

Rokk plane un instant, tout doré dans le soleil couchant. Il décrit un large cercle, puis redescend vers la petite fille :

– Croac ! Croac !
On dirait qu'il la remercie.

– Au revoir, Rokk ! Sois prudent !

Les trois enfants saluent l'oiseau en agitant les bras, et il disparaît dans le ciel.

Léa sourit aux garçons :

– Il est vraiment gentil !

– Tout à fait ! approuve Teddy. Et tes douces paroles l'ont guéri.

– Je me demande pourquoi les gens, ici, ont tellement peur des corbeaux.

– Moi aussi, intervient Tom. Et qu'est-ce que c'est que cette histoire de fantômes ?

– Ne t'inquiète pas, dit Teddy. Je suis près de vous, vous n'avez rien à craindre.

Tom marmonne :

– Je n'ai pas peur…

– Pas peur ? s'étonne quelqu'un, derrière eux.

Les enfants se retournent.

Une vieille femme se tient sur le seuil d'une maison. Elle se penche vers eux et récite d'une voix éraillée :

Où est la fille
qui la laine file ?
Et les garçons
Jouant aux échecs,
Où ils sont ?
Et où est donc passé
le chien attendant sa pâtée ?

La vieille femme fixe les enfants d'un regard plein d'effroi. Puis elle rentre dans sa maison et ferme la porte.

Tom sent un frisson glacé lui courir le long du dos. Il murmure :

– Bizarre, tout de même !

– Ce doit être elle, la vieille Maggie, la femme qui travaillait au château, suppose

Léa. Je me demande ce que veut dire sa drôle de comptine…

Teddy hausse les épaules :

– Je n'en sais rien. En tout cas, elle est douée pour les rimes !

– Ça oui ! approuve Tom.

– Ne perdons pas de temps, reprend le jeune magicien. Il va bientôt faire noir.

Laissant le village derrière eux, les enfants se dirigent vers le sentier qui s'enfonce dans les bois. Teddy lève haut la lanterne pour éclairer le chemin. Le vent agite les branches, les arbres chuchotent dans la froide nuit d'automne.

À la lisière de la forêt, ils s'arrêtent tous les trois. Devant eux, hautes et blanches sous la lune, se dressent d'énormes murailles.

Le château du duc

Tout est calme dans le château. Quel silence ! On ne voit ni lumières aux fenêtres, ni gardes devant le portail, ni archers patrouillant sur les remparts.

– Pas très bien protégée, cette forteresse, hein ? fait remarquer Teddy. Notre mission ne sera pas difficile.

– Tant mieux ! se réjouit Léa.

Tom ne dit rien. Lui, il préfèrerait qu'il y ait des gardes et des soldats. Ça serait plus normal.

– Venez ! lance Teddy.

Tom et Léa lui emboîtent le pas, et tous trois franchissent le pont-levis qui mène au portail. Arrivé sous la voûte, Teddy cogne à la porte :

– Hé, ho ! Ouvrez-nous !

Les trois enfants fixent les lourds panneaux de bois. Rien ne bouge.

– Ne vous inquiétez pas, dit Teddy. Je vais vous faire entrer, moi !

Le jeune magicien pose sa lanterne. Il respire profondément, il se frotte les mains. Puis il lève les bras et commence :

La porte ouvrez-nous, s'il vous plaît…

Il se tourne vers Tom et Léa :
– Vite ! Qu'est-ce qui rime avec « plaît » ?
– Euh…, « balai », propose Tom.
– Excellent !
Teddy déclame :

La porte ouvrez-nous, s'il vous plaît,
Sinon, pas de coup de balai !

Rien ne se passe.
Teddy hausse les épaules :
– Cette formule ne marche pas…
Léa hoche la tête, les sourcils froncés.
Tom dit :
– Vous êtes sûrs que la porte est fermée ?

– Voyons ça, dit Léa.

Elle pousse l'un des battants, Tom pousse l'autre. Ils s'ouvrent en grinçant. Teddy se met à rire :

– Magnifique ! On entre ?

La cour est déserte et pleine de courants d'air. Derrière les enfants, la grande porte tourne toute seule sur ses gonds et se referme bruyamment.

Tous trois sursautent. Puis Teddy déclare d'une voix enjouée :

– Intéressant !

Tom s'efforce de sourire :

– Oui, très intéressant !

Il frissonne, et pas seulement de froid. « Sommes-nous dans la caverne de la peur ? » se demande-t-il.

– On y va ! lance Teddy en traversant la cour d'un pas décidé.

Nulle part on ne voit signe de vie. Tom repense à la comptine de la vieille Maggie.

De quelle fille parlait-elle ? De quels gar-çons ? Et de quel chien ?

Teddy se dirige vers un bâtiment bas, et il lève sa lanterne pour éclairer l'intérieur. Les enfants découvrent des rangées de boxes vides et propres. Au mur, des selles et des harnais sont accrochés à des pitons. De la paille est entassée dans un coin.

– Ce sont les écuries, dit Tom.

– Mais il n'y a pas de chevaux, constate Léa.

– Peu importe, conclut Teddy, tout est en ordre. Venez !

Il marche vers un autre bâtiment. La lumière de la lanterne éclaire un four en brique, un évier de pierre, des paniers emplis de pommes, des bottes d'oignons suspendues aux poutres.

– Voilà la cuisine ! devine Tom.

– Mais il n'y a ni cuisiniers ni marmi-tons ! fait remarquer Léa.

– La pièce est en ordre, de toute façon, observe Teddy. Continuons !

Tout en traversant de nouveau la cour éclairée par la lune, Tom jette des coups d'œil inquiets de tous côtés. « Et si des fantômes surgissaient ? » songe-t-il.

Brusquement, il s'arrête et souffle :

– Hé ! Attendez une minute !

– Pourquoi ? demandent en chœur Teddy et Léa.

Tom remet ses lunettes en place et répond :

– On ne va pas aller comme ça d'un bâtiment à un autre ! Quelle est notre stratégie ?

– Notre stratégie ? répète Teddy.

– Tom a raison, intervient Léa, on devrait décider d'un plan.

– Aaaaah, oui ! Un plan ! Excellente idée ! approuve Teddy avec un grand sourire. Quel genre de plan ?

– Eh bien, reprend Tom, posons-nous d'abord la question : où nous rendre en premier ?

Teddy regarde autour de lui. Il désigne une tour qui domine le château :

– Là ! C'est le donjon. Là-dedans se trouvent les appartements du duc, de la duchesse et de leurs enfants.

– Parfait ! acquiesce Tom. Ensuite, que ferons-nous ?

– Nous monterons, et nous examinerons chaque étage, répond Teddy.

– Oui, dit Léa. Et si nous trouvons du désordre, nous rangerons.

– Excellent ! commente Teddy.

– Et après ? insiste Tom.

– Après, on s'en va ! Mission accomplie ! conclut le jeune magicien.

Tom est un peu perplexe. Ça ne lui paraît ressembler ni à un plan, ni à une mission, mais le « on s'en va » lui convient. Il espère que cet instant arrivera avant qu'un fantôme se soit montré.

– D'accord ! approuve-t-il.

Les éclairant toujours avec sa lanterne, Teddy les mène jusqu'à l'entrée du donjon. Il pousse la lourde porte de bois, et les enfants le suivent à l'intérieur. Trois hautes silhouettes noires se dressent devant eux.

Tom fait un bond en arrière :

– Aaaaaaah !

– Tu as peur de nos ombres, Tom ? se moque sa sœur.

– Bon, bon, ça va, grommelle le garçon, vexé. Où va-t-on, maintenant ?

– Par là ! souffle Teddy.

Il s'engage à pas prudents dans un large corridor sombre, Tom et Léa sur ses talons. L'air est humide, ça sent le renfermé.

« Est-ce ici qu'on pénètre dans la caverne de la peur ? » se demande Tom, le cœur battant.

Un hurlement plaintif s'élève soudain, suivi d'un choc sourd. Cette fois, c'est Léa qui lâche un cri d'effroi et s'accroche à son frère.

Teddy se met à rire :

– Ce n'est que le vent qui siffle dans les créneaux, et un volet qui a claqué !

Tom respire profondément et continue d'avancer. Les voilà bientôt devant un escalier de pierre en colimaçon.

« Bon ! » pense Tom. Grimper l'escalier fait partie du plan.

– On monte ? demande Teddy.

– On monte ! s'écrie Tom en tâchant de prendre une voix enthousiaste.

Teddy lève la lanterne et s'engage sur les premières marches.

Tom et Léa le suivent. Ils montent, ils montent… Cet escalier leur donne le tournis.

Lorsqu'ils arrivent au premier étage, Teddy pousse une porte. Les enfants découvrent des rangées de casques, des armures, des lances, des boucliers …

– La salle d'armes, annonce Tom.

– Tout a l'air en ordre, ici aussi, fait remarquer Léa.

Tom hoche la tête. Il est content que cette pièce soit bien rangée ; ça a quelque chose de rassurant.

Les enfants repartent dans l'escalier. Au deuxième étage se tient une vaste pièce. Teddy se sert de la bougie de sa lanterne pour allumer des torches, fixées au mur de chaque côté de la porte. Leur lumière dansante révèle un haut plafond et des murs recouverts de tapisseries.

– C'est la grande salle, explique Teddy, où l'on donne les fêtes et les festins.

– Allons vérifier, dit Léa. Il y a peut-être du désordre.

Ils entrent. Une longue table occupe le centre de la pièce.

– Aaah ! fait Léa.

La table est parsemée de miettes, de cire figée et de pétales de fleurs fanés. Le sol est jonché de morceaux de pain, d'os de poulets et de détritus.

– Enfin ! s'écrie Teddy. Voilà un endroit à remettre en ordre !

Tom aperçoit un balai de paille contre un mur :

– Je vais nettoyer le plancher.

– Et moi, la table, décide Léa.

– Moi, dit Teddy, je vais gratter la cire.

Tom s'empare du balai et rassemble en tas des trognons de pommes, des croûtes de fromage, des arêtes de poisson, des coquilles d'œuf, avec l'agréable sentiment

d'accomplir sa mission. « Nous ramenons l'ordre au châtcau, comme Merlin nous l'a demandé, pense-t-il, satisfait. Nous allons bientôt pouvoir partir d'ici. »

À cet instant, Léa pousse un hurlement strident. Tom lâche son balai et se retourne d'un bloc.

– Re… regardez ! bégaie la petite fille, les yeux écarquillés de peur.

Du doigt, elle désigne une cheminée de pierre, à l'extrémité de la grande salle. Devant la cheminée, un gros os blanc semble flotter dans l'air. Puis il se met à sautiller et se dirige droit vers les enfants.

5

Des fantômes !

– Aaaaaah ! crie Tom.

– Aaaaaah ! gémissent Teddy et Léa.

Ils s'élancent tous les trois vers la porte et s'engagent dans l'escalier. Tom regarde derrière lui :

– L'os ! Il nous poursuit !

– Iiiiiiiiih ! piaillent les enfants en chœur.

Arrivé à l'étage au-dessus, Teddy ouvre une porte à la volée :

– Entrez vite !

Tom et Léa se précipitent dans la pièce et Teddy claque la porte derrière eux.

Tous trois s'adossent au battant, trem-
blants, haletants.

– Sauvés ! souffle Teddy. Cet os ne nous
aura pas !

Et il s'esclaffe nerveusement. Tom éclate
de rire, lui aussi. Il a eu tellement peur ! Il
rit, il rit, il n'arrive plus à s'arrêter.

– Chut, les garçons ! ordonne Léa.
Écoutez !

Tom appuie sa main sur sa bouche pour étouffer ses gloussements et il tend l'oreille. Il entend une sorte de léger cliquètement, mais il ne voit rien ; il fait trop sombre.

Teddy utilise de nouveau la bougie de la lanterne pour allumer des torches accrochées près de la porte. Ils regardent autour d'eux.

– On dirait une chambre d'enfants, fait remarquer Teddy.

Trois lits sont alignés contre un mur. Des jouets de bois jonchent le sol. Un rideau blanc volette devant une fenêtre ouverte. Le bruit semble provenir d'un coin plongé dans l'ombre.

– Qu'est-ce que ça peut bien être... ? marmonne Léa en se dirigeant par là.

Les garçons la suivent, Teddy levant sa lanterne. La lumière révèle un rouet de bois. À côté est posé un panier de laine brute. Un grand miroir couvert de

poussière luit vaguement sur le mur.

Ce qui est étrange, c'est que le rouet file
la laine, mais… personne n'appuie sur la
pédale ! L'instrument travaille *tout seul* !

– Regardez ! souffle Léa en désignant
une table basse.

Sur la table, il y a un jeu
d'échecs. Les pièces du
jeu sont disposées
sur le damier.

Et, soudain, les enfants voient un pion représentant un cheval passer tout seul d'une case à une autre ! Puis c'est celui figurant la reine qui bouge à son tour !

– Oooooh ! gémit Léa.

– Des fantômes ! murmure Teddy.

– Fi… fichons le camp d'i… d'ici ! bre-douille Tom.

Ils traversent la chambre en courant. Teddy ouvre la porte.

L'os blanc se balance dans les airs, juste devant eux !

– AAAAAAAAAH ! glapissent-ils tous les trois.

Teddy referme violemment la porte.

Les enfants se serrent les uns contre les autres. Ils ont aussi peur de rester que de sortir. Tom sent son cœur battre à tout rompre. Il dit à Teddy :

– Je… je croyais que tu n'avais pas peur des fantômes !

– Oh, je… Eh bien, je viens de décou-vrir que… si !

– Qu'est-ce qu'on peut faire ? gémit Léa.

– Une formule ! décide Teddy. Je vais réciter une formule magique !

Il tend la lanterne à la petite fille, lève les bras et récite :

Esprits de la terre et de l'air… !

Il regarde Tom et Léa :

– Vite ! Qu'est-ce qui rime avec « air » ?

– Euh… « vipère » ! lance Tom.

Teddy secoue la tête :

– Je crains que le mot « vipère » n'arrange pas les choses…

Tom se creuse la tête pour trouver une meilleure rime. Soudain, Léa se met à sauter en criant :

– Ça y est ! J'y suis ! J'ai compris !

Elle se tourne vers les garçons avec un grand sourire.

« Ma sœur est devenue folle ! » pense Tom, inquiet.

– Vous vous rappelez la comptine de la vieille Maggie ? reprend la petite fille.

Et elle récite :

Où est la fille
qui la laine file ?

Elle désigne le rouet qui tourne tout seul :

– Elle est là, la fille ! Elle file la laine !

Elle continue :

Et les garçons
Jouant aux échecs,
Où ils sont ?

Léa montre le jeu d'échecs, sur la table basse :

– Et voilà les garçons ! Ce sont sans doute ses frères, qui jouent aux échecs !

Elle récite encore :

Et où est donc passé
le chien attendant sa pâtée ?

D'un geste décidé, elle ouvre la porte de la chambre. L'os est toujours là, à se balancer au-dessus du sol. Tom et Teddy reculent, effrayés.

– N'ayez pas peur ! les rassure Léa. Ce n'est qu'un chien. Il transporte son os dans sa gueule. La fille, les garçons, le chien, ils sont tous là. Ils sont invisibles, voilà tout !

6

Le diamant de Merlin

Bouche bée, Tom et Teddy regardent Léa, qui s'agenouille pour parler au chien invisible.

– Bonjour, toi ! le salue-t-elle d'une voix douce. Tu n'as pas eu ta pâtée, c'est ça ?

L'os se met à remuer, il descend vers le sol et oscille de droite à gauche.

– Vous voyez, explique la petite fille, là, il se roule sur le dos avec son os dans la gueule. Il faut faire quelque chose pour lui, il a faim !

Léa se relève et désigne l'autre côté de

la chambre :

– La fille et ses frères ! Eux aussi, il faut les secourir !

Elle traverse vivement la pièce, les garçons sur ses talons. Elle s'arrête devant le rouet et déclare :

– On ne peut pas te voir, mais on n'a pas peur de toi ! On voudrait t'aider. Est-ce que tu m'entends ?

Le rouet cesse de tourner.

– Elle nous entend ! s'exclame Léa.

S'adressant de nouveau à la fille qui file, elle demande :

– Que vous est-il arrivé, à toi, à tes frères, à votre chien, et à tous les habitants de ce château ?

Pourquoi êtes-vous devenus invisibles ?

Tom sent alors un courant d'air froid lui effleurer le visage.

– Je crois qu'elle s'est déplacée..., souffle-t-il.

– Oui, dit Teddy, elle est devant le miroir. Regardez !

En effet, un doigt invisible est en train d'écrire quelque chose dans la poussière qui recouvre la glace. Des mots apparaissent :

Diamant de la Destinée volé.

– Incroyable ! souffle Teddy. Nous sommes dans le château secret, gardien du Diamant de la Destinée !

– Qu'est-ce que c'est ? s'étonne Tom.

– Une pierre magique qui appartient à Merlin. Elle était incrustée dans le pommeau de l'épée enfoncée dans un rocher, que seul le roi Arthur a pu retirer de la pierre, il y a des années de cela.

– On connaît cette histoire ! s'écrie Léa. C'est ainsi qu'Arthur est devenu roi !

– Oui, et le Diamant de la Destinée donnera autant de force et de pouvoir au prochain souverain légitime de Camelot.

– Voilà ce que Merlin voulait dire quand il nous déclarait que de notre réussite dépendait l'avenir du royaume ! murmure la petite fille, pensive.

– Attendez, attendez ! intervient Tom. Je n'y comprends vraiment rien. Quel rapport peut-il y avoir entre ce fameux joyau et des enfants-fantômes ?

– Après qu'Arthur est devenu roi, explique Teddy, Merlin a confié la garde du diamant à une noble famille du royaume. Le nom de cette famille a été tenu secret. Tant que la pierre resterait en sécurité, cette famille devait connaître la prospérité. Mais si elle manquait à son devoir, elle allait être effacée du monde visible.

Léa hoche la tête :

– C'est donc ça !

– Je me demande où ils l'avaient caché…, fait Tom.

– Bonne question ! dit Teddy. Ils avaient sûrement cherché un endroit sûr.

– Hé, regardez ! s'écrie Léa en désignant une lourde tapisserie, près du miroir.

La tapisserie vient de s'écarter, et une pierre du mur tourne lentement.

– C'est la fille-fantôme ! Elle veut nous montrer la cachette secrète !

Les trois enfants se précipitent. Ils découvrent un minuscule placard, aux parois recouvertes d'or et d'ivoire. Mais il est vide.

Léa cherche autour d'elle.

– Fille-fantôme, demande-t-elle, qui a volé le Diamant de la Destinée ? Tu le sais ?

Des lettres apparaissent de nouveau sur le miroir. Une main invisible écrit dans la poussière :

Le roi

– Oh non ! gémit Teddy. Pas lui !

Tom sent une vague d'effroi le submerger :

– Oh-non-pas-*qui* ?

– Chut ! Attends ! fait Teddy.

Sur le miroir, un autre mot apparaît :

81

Corbeau

– Le roi Corbeau ! soupire le jeune magicien. Exactement ce que je craignais !

Un, deux, trois !

Teddy se frappe le front :

– Voilà pourquoi Merlin m'a envoyé chercher ces livres !

– Quels livres ? l'interroge Tom. Et qui est ce roi Corbeau ?

– Je comprends tout, à présent, continue Teddy.

– Qui est le roi Corbeau ? s'impatiente Tom.

– Mais je me demande comment il a trouvé le Diamant de la Destinée…

– Teddy ! QUI est le roi Corbeau ?

Tom est si énervé qu'il a presque crié. Teddy répond enfin :

– C'est une créature terrifiante, venue de l'Autre Monde. J'ai lu son histoire dans un des livres que j'ai apportés à Merlin. La voici : il était une fois un garçon qui désirait ardemment devenir un oiseau pour être capable de voler. Il déroba une formule magique au Sorcier de l'Hiver, mais il n'était pas assez bon magicien pour s'en servir correctement. Aussi le sort ne marcha-t-il qu'à moitié ; il fit de lui un être mi-humain, mi-oiseau.

– Quelle horreur ! souffle Tom.

– Il commande à présent une armée de corbeaux, qui le considèrent comme leur roi. Il faut absolument lui reprendre le diamant ! Pour l'avenir du royaume de Camelot !

– Et aussi pour ces pauvres enfants-fantômes ! ajoute Léa. Et pour le pauvre chien !

Elle lance à la cantonade :

– Ne vous inquiétez pas ! On va vous sortir de là. On va retrouver le Diamant de la Destinée !

– Ah oui ? grogne Tom. Et comment ? On ne sait même pas où il vit, ce dingue de roi Corbeau !

– La fille t'a entendu, murmure Teddy. Regarde !

Des mots apparaissent sur le miroir :

Il niche au sommet
De la montagne

Tom sent de nouveau un courant d'air le frôler. Puis le rideau de la fenêtre ondule. Une main invisible le tire sur le côté. Au loin s'élève un haut pic rocheux. Sa silhouette noire, éclairée par la lune, se découpe contre le ciel nocturne.

– Ah ! souffle Teddy. Voilà donc où

niche le roi Corbeau ! Je pensais que son repaire était dans l'Autre Monde.

– J'aurais préféré, soupire Tom. On n'arrivera jamais à monter jusque-là !

– C'est vrai. Aucun humain n'est capable d'escalader une pente aussi escarpée !

Léa intervient d'une toute petite voix :

– Alors… comment on va récupérer le diamant ?

– J'ai dit « aucun humain », précise Teddy. Moi, rappelle-toi, je suis plus qu'un humain : je suis un magicien !

– C'est ce que tu dis, se moque la petite fille. Dommage que tes comptines ne marchent jamais !

– Peut-être. Seulement, j'ai mieux que des comptines !

Le garçon tire de sa ceinture un petit bâton :

– Tu vois ?

– Qu'est-ce que c'est ? demande Tom.

– C'est une baguette de noisetier enchantée ! Sa magie est assez puissante pour me transformer en n'importe quoi.

– Wouah ! s'exclame Léa. C'est Morgane qui te l'a donnée ?

– Non. Ni Morgane ni Merlin ne savent que j'en possède une ! C'est le cadeau d'un esprit de la forêt, un cousin de ma mère.

– Et en quoi vas-tu te changer ? veut savoir la petite fille.

– En corbeau, bien sûr !

« Ce garçon est fou », pense Tom.

Mais Léa semble d'accord avec le jeune magicien :

– Excellente idée !

« Ils sont fous tous les deux ! » conclut Tom.

– Oui, n'est-ce pas ? s'exclame Teddy.

Il lève la baguette.

– Stop ! l'arrête Tom. Tu as un plan ? Que feras-tu quand tu seras devenu corbeau ?

– Je volerai jusqu'au sommet de la montagne, je trouverai le nid du roi, je lui reprendrai le diamant, et je reviendrai. Mission accomplie !

« Ça m'étonnerait que ce soit aussi facile… » songe Tom.

– Et nous ? s'inquiète Léa. Que ferons-nous ?

– Vous m'attendrez ici. Je serai bientôt de retour.

Teddy grimpe sur le rebord de la fenêtre ;

son ombre s'étire sur le plancher.

– Bonne chance ! lui souhaite Léa.

– Merci.

Le garçon lève de nouveau sa baguette
de noisetier.

– Une minute ! intervient de nouveau
Tom. Pourrions-nous discuter un peu
de ton plan ?

Mais le jeune magicien ne l'écoute pas.
Il commence à réciter :

Ô souple morceau de bois,
Fais de moi un corbeau…

– Vite ! Un mot qui rime avec « bois » !
– « Trois » ! propose Léa.
– Parfait !
Teddy reprend :

Ô souple morceau de bois,
Fais de moi un corbeau…
Un, deux, trois !

Il agite la baguette.
– Aïe, aïe, aïe…, gémit
Tom en se cachant la tête
dans les bras.
Soudain, un souffle
chaud l'enveloppe. Il

entend une sorte de rugissement, puis un étrange cri rauque. Il écarte un peu les bras, et un frisson glacé le parcourt tout entier : la baguette est tombée à ses pieds. L'ombre de Teddy s'étire toujours sur le plancher, mais… ce n'est plus l'ombre d'un garçon !

Un gros corbeau au bec dur est perché à présent sur le rebord de la fenêtre. Ses ailes d'un noir bleuté luisent dans la clarté de la lune. Sous la fenêtre se tient un oiseau semblable, mais plus petit.

« Où est Léa ? » s'affole Tom.

Il veut appeler sa sœur, et c'est un horrible croassement qui sort de sa gorge :

– Lek-Aaak ?

Tom se fige. Ce n'est pas possible ! C'est un cauchemar !

Le garçon bouge vivement la tête pour examiner son propre corps. Ses bras sont devenus des ailes, ses jambes des pattes

grêles, terminées par quatre longs doigts
aux griffes recourbées.

Avec sa formule, Teddy les a chan-
gés tous les trois en corbeaux !
Un, deux, trois !

8

Vole ! Vole !

– CRAON, CROM ERK LEK-AA-C !
croasse Teddy.

Le jeune magicien parle corbeau maintenant. Mais Tom le comprend parfaite-
ment. Teddy a dit : « Pardon, Tom et Léa ! »

Léa s'avance et, d'un coup d'aile, vient
se percher près de Teddy. Elle croasse :

– Crèèèc ! Cro cricroo !

Ce qui veut dire :

– Super ! C'est trop rigolo !

– Croac ! s'étrangle Tom. Cricroo ?
Quoi ? Rigolo ?

– Crééé, Crom ! Allez, Tom ! s'exclame Léa. Croooool ! Vole !

Teddy et Léa s'élancent et disparaissent dans la brume, que la lune perce de rayons d'argent.

« Ça ne peut pas être vrai, pense Tom. Je suis en train de rêver ! »

Il déploie son aile droite, puis son aile gauche, il les agite….Voilà qu'il décolle du sol et se pose sur le rebord de la fenêtre ! Il voit, loin devant, Teddy et Léa, qui plongent, remontent et virevoltent comme des acrobates.

– Lek-Aaac ! Cra-an ! croasse Tom. Léa ! Attend !

Sa sœur tournoie, revient vers le donjon en quelques battements d'aile et se pose près de lui. Elle l'encourage en langage corbeau :

– Ne reste pas là, Tom ! Tu vas voir, c'est super amusant !

Teddy arrive à son tour. Il croasse :

– Je pars pour le sommet de la montagne ! Vous venez avec moi ?

– Allez, Tom ! insiste Léa. Viens !

Et elle s'envole à la suite de Teddy.

Le petit cœur d'oiseau de Tom est tout palpitant. « Cette fois, pense-t-il, je suis vraiment entré dans la caverne de la peur ! »

Les paroles de Merlin résonnent alors dans sa mémoire : « Comportez-vous avec courage, et vous resurgirez dans la lumière ! »

Tom ferme les yeux et saute dans le vide. Il tombe ! Il tombe !

Il se met à battre furieusement des ailes. Et il remonte, il trouve son équilibre, il plane dans la nuit ! Il regarde en bas : le sol est loin, loin au-dessous de lui. La cour du château lui paraît minuscule.

Teddy et Léa l'attendent en décrivant de larges cercles.

– Croak ! leur lance Tom en les rattrapant. On y va !

Tous trois s'élancent vers la cime où se trouve le nid du roi Corbeau. Dans le silence nocturne, on n'entend que le bruissement de leurs ailes. La montagne se rapproche. Les enfants survolent une forêt de pins. Puis ils s'élèvent encore, traversent des nuages cotonneux.

Teddy émet un croassement effrayé :
– Regardez ! L'armée des corbeaux !

Tom scrute la nuit, et il n'en croit pas ses yeux : à la clarté de la lune, il voit de gros oiseaux noirs, perchés sur les rochers. Il y en a des milliers ! La tête sous l'aile, ils dorment. Pourvu qu'ils ne se réveillent pas !

Les trois enfants-corbeaux montent plus haut et se dirigent vers le sommet escarpé. Teddy lance un cri rauque :

– Croa-ac ! Voilà le nid du roi Corbeau !

9

Un morceau d'étoile

Teddy se pose sur une arête rocheuse. Tom et Léa se perchent près de lui. Cachés dans l'ombre, ils s'accroupissent, aile contre aile, et observent le nid du roi Corbeau.

C'est un nid géant, fait de boue, de branches et de longs rubans d'écorce entrelacés. Deux sentinelles montent la garde devant l'entrée obscure.

– Bon ! croasse Tom à voix basse. Quel est le plan ?

– Écoutez-moi attentivement, répond Teddy.

À petits chuchotements de corbeau, il énumère les phases de son plan :

– Je distrais les sentinelles. Toi, Léa, tu surveilles l'entrée du nid. Tom, tu t'y introduis et tu récupères le diamant. Ensuite, tous les deux, vous foncez jusqu'au château, et je vous rejoins.

– Et… et le roi Corbeau ? couine Tom, effrayé.

– Je ne vois pas ses gardes du corps, dit Teddy. C'est donc qu'il n'est pas là. Il faudra tout de même faire vite, il pourrait revenir.

Tom a bien d'autres questions à poser. Mais, avant qu'il ait pu ouvrir le bec, Teddy déploie ses ailes et s'élance vers le nid.

– On y va ! s'écrie Léa en s'envolant à son tour.

Tom est complètement affolé :

– Hé ! Attendez-moi !

Trop tard ! Teddy plonge déjà comme une bombe sur les sentinelles :

– Croa ! Croa !

Les deux corbeaux foncent sur lui et le pourchassent avec des cris perçants. La voie est libre !

Léa se pose devant l'entrée du nid et croasse :

– Dépêche-toi, Tom !

Le garçon quitte son perchoir. Sans prendre le temps de réfléchir davantage, il franchit l'entrée du nid.

Avec ses yeux de corbeau, il découvre que les parois de branchages sont enduites de boue séchée, et ornées de peaux de petites bêtes. Un tapis de mousse recouvre le sol.

Tom avance. Il tend l'oreille. Tout est silencieux. Aucun signe de la présence du roi Corbeau. Le garçon avance encore un peu. La paroi du fond semble différente : elle est noire et luisante.

Tom va la toucher du bec. Ce n'est pas

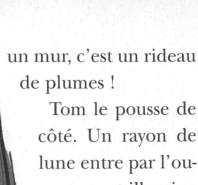

un mur, c'est un rideau de plumes !

Tom le pousse de côté. Un rayon de lune entre par l'ouverture et illumine un amas de pièces d'or et d'argent. Des perles, des émeraudes et des rubis étincellent. C'est le trésor du roi Corbeau !

Au milieu scintille un cristal d'un blanc bleuté, aussi gros qu'une bille. Il semble émettre sa propre lumière, tel un morceau d'étoile. C'est le Diamant de la Destinée !

Le cœur battant, Tom s'approche et donne un petit coup de patte dessus. Le diamant lance de tous côtés des rayons éblouissants.

– Crom ! Crom ! croasse Léa, depuis l'extérieur. Criiiiiiik ! Tom ! Ils arrivent !

Tom saisit délicatement le diamant dans son bec. Aussitôt, il se sent empli de force et de courage. Il entend la voix de Léa, qui le supplie de se dépêcher. Mais il n'a plus peur du tout. Il traverse tranquillement le nid et ressort dans la nuit.

D'autres sentinelles ont été alertées. Elles volent vers la montagne et donnent l'alerte avec de terribles croassements :

– Croak ! Croak ! Croak !

Tom voit Léa, perchée sur un rocher.

– Vite, Tom ! Vite ! crie-t-elle.

Et elle s'envole.

Le bec bien serré sur le diamant pour ne pas le laisser tomber, Tom déploie gracieu-

sement ses ailes et décolle derrière elle.

Tandis que les deux enfants-corbeaux s'éloignent de la montagne, un vacarme de croassements s'élève dans la nuit. Des milliers de corbeaux montent dans le ciel tel un énorme nuage d'orage. Les battements de milliers d'ailes résonnent comme le tonnerre. Leur ombre gigantesque cache la lumière de la lune.

– Criiiiik! Cru criiiiik ! croasse Léa. Vite !
Plus vite !

Le frère et la sœur foncent dans l'obs-
curité vers le château du duc. L'armée de
corbeaux tourne follement au sommet de
la montagne. Pourtant, c'est bizarre : aucun
soldat ne les pourchasse.

« Ils ne savent pas quoi décider sans
leur roi », comprend Tom.

Le garçon se demande où il peut bien
être, ce roi Corbeau. Mais le Diamant de
la Destinée est là, dans son bec. Tom n'est
pas du tout effrayé.

Peu à peu, les croassements s'éloignent,
puis se taisent.

Le château apparaît enfin. Tom aperçoit la lumière de la lanterne, dans la
chambre des enfants. Comme il n'a pas
envie de se poser tout de suite, il décrit
un large cercle autour du donjon, il plane
au-dessus de la cour et des écuries, des

remparts et du pont-levis. Il survole la forêt et le village aux toits de chaume, où les gens dorment. Léa le suit.

Enfin, ils retournent vers le château et se perchent sur le rebord de la fenêtre. Ils ont réussi ! Le Diamant de la Destinée est sauvé !

10

Magie

Dans la chambre, la lanterne et la baguette de Teddy sont toujours par terre. Mais le jeune magicien n'est pas encore revenu.

- Allons déposer le diamant dans sa cachette ! croasse Léa.

Tom ne bouge pas. Il n'a pas envie d'abandonner la pierre. Avec elle, il se sent tellement courageux !

– Tom ! le presse sa sœur. Va remettre le diamant à sa place ! Je vais écarter la tapisserie.

La petite fille volète jusqu'au mur. Elle essaie de tirer la tapisserie avec son bec, mais le tissu est trop lourd :

– Je ne pourrai pas soulever ça tant que je serai un corbeau. Attendons que Teddy revienne et qu'il nous transforme de nouveau !

Elle retourne à la fenêtre et se perche près de son frère. Tom est content. Plus longtemps il tiendra le diamant, mieux il se sentira.

– Hé ! s'écrie soudain Léa. Si on se servait nous-mêmes de la baguette magique ? Je suis plus douée pour les rimes que Teddy ! Ça ne coûte rien d'essayer.

Tom secoue la tête, contrarié ; mais Léa ne s'en aperçoit pas. Elle saute sur le sol, s'approche de la baguette et la saisit dans son bec. Puis elle croasse :

– Viens près de moi, Tom ! Sinon, tu vas tomber du haut du donjon !

Le garçon obéit à contrecœur. Sa sœur a raison. Et puis, ils ne peuvent pas rester des corbeaux toute leur vie !

Léa tapote du bout de la baguette la tête de son frère, puis la sienne. Enfin, elle improvise en langage corbeau :

Ô baguette noisetière,
Rends-nous notre forme première !

Un coup de vent secoue la pièce, un éclair jaillit. Presque tout de suite, Tom entend le rire de Léa, son vrai rire !

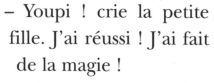

– Youpi ! crie la petite fille. J'ai réussi ! J'ai fait de la magie !

Le garçon examine ses bras, ses jambes, ses pieds.

– Wouah ! souffle-t-il.

Crom et Lek-Aaak ont disparu ; Tom et Léa sont de retour ! Tom agite ses doigts et ses orteils. Il touche son visage : la bouche, le nez, les oreilles… Finalement, il est bien content d'avoir retrouvé son corps d'avant !

– C'est Teddy qui va être épaté ! s'écrie Léa.

Regardant autour d'elle, elle s'adresse aux enfants invisibles :

– Hou hou ! On est revenus ! Et vous savez quoi ? On rapporte le diamant !

Tom tressaille : le diamant ! Il le tenait dans son bec. Où est-il, à présent ?

Le garçon marmonne :

– J'ai dû le laisser tomber quand on s'est transformés…

À cet instant, les enfants entendent un claquement d'ailes.

– Teddy ! s'exclament-ils en même temps.

Ils se retournent.

Mais ce n'est pas Teddy.

Sur le rebord de la fenêtre est perchée une effroyable créature, moitié homme, moitié oiseau. Ses cheveux sont des plumes, son nez est un bec. Il a d'horribles pattes griffues en guise de mains et de pieds. Il est vêtu d'une longue cape de plumes noires, qui luit à la lumière de la lune telle une armure.

– Bonsoir ! croasse le roi Corbeau.

11

Un corbeau
dans une cage

Les enfants restent bouche bée. Le voilà donc, celui qui a voulu devenir un oiseau, mais n'a pas su se servir de la formule du sorcier de l'Hiver ! Ce n'est pas une légende, il existe vraiment !

Le roi Corbeau saute dans la chambre. Ses gardes entrent derrière lui dans un grand bruissement de plumes. Ils sont au moins vingt à passer ainsi par la fenêtre. Tom et Léa sont soudain encerclés d'ailes noires et de becs menaçants.

Le roi Corbeau fixe les enfants :

– Où sont les deux corbeaux qui m'ont volé mon diamant ? demande-t-il de sa voix rauque.

Léa n'est pas rassurée, mais elle fait l'étonnée :

– Quel diamant ?

– Et qu… quels corbeaux ? bredouille Tom.

Comme il voudrait tenir encore le Diamant de la Destinée pour que la pierre lui donne force et courage !

– Ceux qui se sont introduits dans ma salle du trésor ! croasse le roi. Où se cachent-ils ?

Tom tente d'imaginer qu'il a le diamant dans la main, et il répond avec assurance :

– Nous ne le savons pas, Votre Majesté !

– Vous ne le savez pas ? répète le roi Corbeau, sarcastique.

– Non ! Vous avez dû vous tromper de château, lui assure Léa.

– Vraiment ? reprend le roi. Êtes-vous bien certains de ne pas les avoir vus ? Ils ressemblent beaucoup à… celui-ci !

L'effrayante créature rejette sa cape par-dessus son épaule et brandit une cage aux barreaux de fer. Un corbeau y est enfermé.

– Crom ! Lek-Aaak ! croasse le prisonnier.

– Teddy ! s'exclame la petite fille.

– Ainsi, il s'appelle Teddy ? raille le roi Corbeau. Quel joli nom ! J'ai attrapé un « Teddy » ! Je vais le garder comme petit compagnon. Ce sera mignon, qu'en pensez-vous ?

Tom frémit d'horreur à l'idée de voir Teddy emprisonné à jamais dans cette affreuse cage. Il gronde :

– Non, ce sera cruel ! Laissez-le partir, sinon…

– Oui, intervient Léa, laissez-le, sinon…

– Sinon quoi ?

Et, renversant sa tête d'oiseau en arrière, le roi Corbeau éclate d'un rire effroyable.

À cet instant, l'œil de Tom est attiré par quelque chose sur le plancher : la baguette de noisetier ! Le garçon avance d'un pas prudent.

Le rire du roi s'arrête net.

– Créééé ! Croa ! ordonne-t-il à ses gardes.

Avant que Tom pose la main sur la baguette, un garde se précipite, la saisit dans son bec et s'envole aussitôt pour aller se percher sur la tringle du rideau.

Le garçon remarque alors un détail intéressant : l'une des plumes de sa queue est cassée…

Léa l'a vu aussi. Elle souffle :

– Tom ! C'est Rokk !

Et elle s'adresse au corbeau :

– Rokk ! Rokk !

De son perchoir, l'oiseau la fixe de son œil noir.

– Rokk ! C'est moi, Léa ! Je t'ai parlé, au village, quand tu es tombé. Une femme t'avait jeté des pierres, tu t'en souviens ?

– Qu'est-ce que ça signifie ? rugit le roi. Garde, apporte-moi ça tout de suite !

Rokk ne bouge pas. Il resserre son bec sur la baguette et fixe toujours Léa.

– Donne cette petite branche à Tom, Rokk ! lui dit la petite fille. Il pourra rendre à Teddy sa forme de garçon.

Le roi tend le cou d'un air intéressé :

– Ce stupide bâton serait donc magique ? Garde ! Apporte-le-moi !

– N'obéit pas, Rokk ! supplie Léa. Il ne faut plus laisser ce méchant roi vous gouverner !

Le corbeau regarde Léa, il regarde le roi. Enfin, il quitte son perchoir, pique droit sur Tom et laisse tomber la baguette de noisetier à ses pieds. Tom la ramasse prestement.

Le roi Corbeau pousse un cri strident :

– Traître ! Tu me le paieras !

Le corbeau tente de s'esquiver, mais le roi plonge sur lui et lui serre le cou dans son horrible patte. Tom doit sauver le pauvre Rokk ! Vite !

Il pointe la baguette sur le roi et récite
en toute hâte :
Ô baguette du noisetier,
Fais de lui ce qu'il voulait être en premier !

Un violent coup de vent traverse la chambre, un éclair jaillit. Tom ferme les yeux, ébloui.

Quand il les rouvre, l'affreuse créature a disparu ! Sa cape de plumes est étalée sur le plancher. Rokk s'en écarte d'un bond. Il n'est pas blessé.

Un petit cri rauque sort soudain de dessous la cape :

– Croa ?

Léa la soulève et découvre un bébé corbeau.

– Oh ! souffle-t-elle.

L'oisillon étire son cou frêle et croasse de nouveau :

– Croa !

– Bonjour, toi ! lui murmure Léa en souriant.

Elle caresse du doigt les plumes duveteuses de sa tête. Puis elle se tourne vers son frère :

– Tu lui a donné ce qu'il désirait, finalement ! Tu l'as transformé en bébé corbeau !

– Oui. J'ai voulu sauver Rokk sans faire de mal au roi Corbeau ; j'avais un peu pitié de lui. Maintenant, il va pouvoir vivre sa vie d'oiseau.

Rokk s'envole et va se percher sur le rebord de la fenêtre. De là, il domine les autres corbeaux. Il croasse avec autorité :

– Croak ! Croak !

On dirait qu'il est leur chef, à présent !

Un par un, les gros oiseaux s'envolent et quittent la chambre. Deux d'entre eux encadrent le nouveau membre de la troupe, qui agite ses petites ailes de toutes ses forces.

Rokk est le dernier à partir. Il dévisage longuement les deux enfants. Puis il décolle et disparaît dans la pâle lumière de l'aube.

12

Un nouveau jour

– Quakk ?

Un faible croassement sort de la cage, restée sur le plancher.

– Teddy ! s'écrie Tom. On a failli t'oublier !

Léa dit à son frère :

– À mon tour ! Laisse-moi le transformer !

Tom lui tend la baguette :

– D'accord ! Mais attends que je m'écarte, c'est plus prudent !

Et le garçon fait quelques pas en arrière.

La petite fille s'approche de la cage. Elle réfléchit un instant, l'air concentré.

Enfin, elle déclame :

> *Ô baguette du noisetier,*
> *Rends à Teddy sa forme et sa liberté !*

De nouveau un coup de vent balaie la chambre, un éclair jaillit. L'instant d'après, la cage a disparu. Teddy est là, assis sur le plancher.

– Ça a marché ! s'exclame Léa.

– Bravo ! la félicite son frère.

Ils prennent chacun Teddy par une main et l'aident à se relever. Le jeune magicien secoue ses bras et ses jambes :

– Aaaaaah ! Ça fait du bien, de redevenir humain !

Puis il déclare :

– Maintenant, il faut secourir la famille du duc. Où est le diamant ?

– On l'a perdu, avoue Léa.

– Oui, dit Tom. Je le tenais dans mon bec. Mais j'ai dû le laisser tomber quand on s'est métamorphosés.

– Ne vous inquiétez pas, les rassure Teddy. Il ne doit pas être bien loin.

Ils se mettent tous à quatre pattes et inspectent le plancher. Aucune trace du diamant !

Soudain, Teddy pousse une exclamation :

– Regardez !

Une pierre étincelante s'élève au-dessus du panier de laine, près du rouet. Léa comprend ce qui s'est passé :

– La fille-fantôme

l'a caché quand le roi Corbeau a surgi !

Le Diamant de la Destinée flotte vers Tom et s'arrête devant lui. Le garçon tend la main, et le joyau s'y pose doucement.

– Merci ! souffle Tom. Je vais le remettre dans sa cachette.

Tenant le précieux brillant avec précaution, il traverse la chambre. Léa écarte la tapisserie et découvre le petit placard.

Tom jette un dernier regard sur le diamant et dit à voix basse :

– Je me sentais incroyablement courageux quand je tenais cet objet dans mon bec de corbeau !

– Tu t'es montré très courageux sans le tenir, tout à l'heure ! lui fait remarquer sa sœur.

– Ça, c'est vrai ! approuve Teddy.

Tom sourit. Il remet le diamant à sa place. La pierre du mur se referme. Léa laisse retomber la tapisserie.

Dans la chambre, l'air se réchauffe soudain. Une fille commence à apparaître. Elle doit avoir un an de plus que Teddy. De longs cheveux bouclés lui tombent sur les épaules, et elle porte une chemise de nuit blanche.

À la table de jeu, deux garçons sont maintenant assis. Ce sont des jumeaux, qui semblent avoir le même âge que Léa.

D'abord, les trois enfants du duc restent pâles, un peu transparents. Peu à peu, ils reprennent consistance ; leurs yeux brillent, leurs joues rosissent.

Un gros chien noir s'élance sur la jeune fille en aboyant joyeusement.

– Oliver ! s'écrie-t-elle.

Elle serre la bonne bête dans ses bras. Puis elle regarde Tom, Léa et Teddy avec un large sourire :

– Bonjour !

– Salut ! fait Léa. Êtes-vous les seuls habitants de ce château ?

– Oh non ! Tout le monde était endormi, quand le roi Corbeau a volé le diamant. Nous aurions dû dormir, nous aussi. Mais, parfois, le soir, nous aimons nous relever pour jouer. Nous faisons des parties de cache-cache. C'est comme ça que j'ai découvert le placard secret. J'ai voulu mieux voir le diamant ; je l'ai posé sur le rebord de la fenêtre pour qu'il brille à la lumière de la lune. Puis Guillaume et Henry ont commencé une partie d'échecs…

Elle désigne ses frères.

L'un d'eux enchaîne :

– Gwendoline s'est mise à son rouet, et Oliver est descendu dans la salle du bas pour trouver des restes à manger.

– C'est alors que le roi Corbeau a fait irruption et s'est emparé du diamant, continue la jeune fille. Aussitôt, nous avons commencé à disparaître. Nous n'avons pas eu le temps de prévenir nos parents.

– Père ! Mère ! s'écrie Guillaume, comme s'il venait juste de se rappeler leur existence. Il faut aller les réveiller, Gwendoline !

– Je sais. Nous allons monter tout de suite.

Elle explique :

– La chambre de nos parents est à l'étage au-dessus. Comme ils dormaient, je suppose qu'ils ne se sont même pas aperçus qu'ils étaient devenus invisibles !

– Pourtant..., s'étonne Léa, cela fait deux semaines que le diamant a été volé !

– Deux semaines ! s'exclame Gwendoline. Alors, c'est que, pour nous, le temps s'est arrêté !

La jeune fille prend ses frères par la main et leur dit :

– Montons vite réveiller Père et Mère !

Puis elle s'adresse à Tom, Léa et Teddy :

– Merci ! Merci de nous avoir sauvés, qui que vous soyez !

Les enfants du duc sortent de la chambre. Oliver ramasse son os et s'élance derrière eux.

Tom tend la baguette de noisetier à Teddy :

– À mon avis, cet objet n'est pas fait pour jouer, même quand on est un enfant magicien. Tu devrais le rendre à ton cousin.

– Oui, je crois que c'est un bon plan, acquiesce Teddy avec un sourire malicieux.

Il glisse la baguette dans sa ceinture et désigne la porte :

– On y va ?

Tom et Léa hochent de la tête.

Teddy s'empare de la lanterne, et les trois enfants s'engagent dans l'escalier.

Des serviteurs montent et descendent en courant.

– Sonnez la cloche ! ordonne l'un.

– Apportez de l'eau chaude au duc et à la duchesse ! s'écrie un autre.

Les enfants sortent du donjon. Un beau soleil brille au-dessus des remparts. Teddy souffle la bougie de la lanterne. Une cloche sonne, des coqs coqueriquent, des chevaux hennissent. À la cuisine, le feu flambe dans l'âtre. Près des écuries, un forgeron frappe sur son enclume. Une servante passe, portant des seaux remplis de lait. Des archers patrouillent sur le chemin de ronde.

Les enfants passent le grand portail, ils franchissent le pont-levis. Teddy s'exclame :

– Mission accomplie ! On a ramené l'ordre au château.

Tous trois s'élancent sur le chemin du bois. Au village, les gens sont sur le pas de leur porte. Ils regardent avec étonnement du côté du château.

En voyant les enfants, la vieille Maggie sourit largement, découvrant sa bouche édentée :

– La cloche du château s'est remise à sonner !

– Oui, dit Tom. Et les fantômes ont disparu ! N'ayez plus peur !

Dans le bois, les rayons du soleil glissent entre les branches, et les feuilles mortes brillent comme de l'or.

Les paroles de Merlin retentissent dans la mémoire de Tom :

« Vous allez bientôt pénétrer dans la caverne de la peur. Comportez-vous avec courage, et vous

resurgirez dans la lumière ! »

C'est vrai ! Aujourd'hui, la forêt est illuminée de la plus belle lumière qu'on puisse imaginer !

13

La vraie magie

Lorsque Tom, Léa et Teddy arrivent devant le chêne de Merlin, Teddy pose la main sur l'écorce et fait tourner la porte cachée. L'un derrière l'autre, les enfants entrent. Merlin est assis sur sa haute chaise sculptée.

– Ainsi, vous avez ramené l'ordre au château ? demande-t-il calmement.

– Oui, Monsieur, répond Teddy. On a dû utiliser un peu de magic, mais, à présent, tout est arrangé.

– C'est donc que tu as fait des progrès en rimes !

Le jeune magicien rougit, penaud :

– Pour être franc, la magie n'était pas dans mes rimes. C'est le courage et la bonté de Tom et de Léa qui nous ont permis de réussir, et qui m'ont sauvé, moi aussi. Ce sont eux, les magiciens !

– Vraiment ? s'étonne l'Enchanteur.

– Oui ! Leur magie est aussi puissante que n'importe quelle formule ou qu'une baguette de noisetier enchantée !

Merlin lève un sourcil broussailleux :

– Quelle baguette de noisetier ?

– Oh, c'est… Ce n'est qu'une façon de parler, bredouille Teddy.

Merlin se tourne vers Tom et Léa :

– Je vous remercie de votre aide. Encore une fois, vous avez accompli de grandes choses pour le royaume de Camelot !

Le magicien se lève et s'adresse à Teddy :

– Viens, mon garçon ! Je vais te renvoyer chez Morgane. Ma recherche est achevée ;

il faut rapporter ces très précieux ouvrages dans sa bibliothèque.

Il ramasse une pile de gros livres et les dépose dans les bras de Teddy, qui chancelle sous leur poids. Puis Merlin fait sortir les enfants du cœur du chêne.

Pointant le nez de derrière ses livres, Teddy déclare :

– Le moment est venu de nous dire au revoir.

– Quand nous reverrons-nous ? demande Léa.

– Le jour où le devoir nous appellera !

Le garçon jette un coup d'œil à Merlin, qui se contente de sourire.

Teddy reprend :

– Vous savez comment rentrer chez vous ?

– Bien sûr, dit Tom. La cabane magique va nous ramener.

Les enfants lèvent la tête vers la cime du gros chêne. Quand ils se retournent pour dire au revoir à Merlin et à Teddy, ceux-ci ont déjà disparu. Léa soupire :

– Bon ! On y va ?

– On y va !

Ils grimpent à l'échelle. Lorsqu'ils arrivent dans la cabane, un coup de vent fait voltiger la feuille de Merlin. Léa la rattrape vite, avant qu'elle ne passe par la fenêtre. Elle pose le doigt sur les mots « bois de Belleville » et déclare :

– Nous souhaitons revenir chez nous !

Le vent se met aussitôt à souffler, la cabane à tourner. Elle tourne plus vite, de plus en plus vite.

Puis tout s'arrête, tout se tait.

Tom ouvre les yeux. Il est assis sur le plancher de la cabane, à côté de sa sœur. Ils restent là tous les deux un moment, le regard tourné vers la fenêtre. Ici, il fait presque nuit. Un oiseau traverse le ciel crépusculaire. Tom a du mal à croire que, quelques heures plus tôt, il était lui aussi un oiseau !

– On rentre à la maison ? dit Léa.

Tom hoche la tête, pensif : jamais il ne pourra raconter ce qui vient de leur arriver. Il ne saurait même pas quels mots employer pour en parler !

Léa va replacer l'invitation de Merlin près du parchemin royal. Puis les enfants redescendent par l'échelle et suivent le sentier qui sort du bois.

C'est la nuit de Halloween, mais, ici, rien n'est effrayant. Les enfants connaissent chaque arbre, chaque caillou du chemin.

Alors qu'ils approchent de leur maison,

trois créatures hideuses leur barrent la route : une sorcière au nez crochu, un squelette grimaçant et un vampire avec de longues canines luisantes.

Les monstres ricanent et poussent des cris terrifiants.

Tom ct Léa éclatent de rire.

– Très chouettes, vos costumes ! lance la petite fille.

Le frère et la sœur traversent leur jardin et montent les marches du perron.

– On va mettre nos déguisements ? dit Léa.

Tom remonte ses lunettes sur son nez :

– Non, ce soir, je préfère rester à la maison. J'aiderai papa et maman à donner des bonbons aux enfants déguisés qui sonneront à la porte.

– Tu as raison, fait Léa. Moi aussi, finalement. Mais je porterai tout de même mon costume de princesse-vampire !

– Bonne idée ! approuve Tom en souriant.

Ils entrent dans leur maison bien chaude et referment la porte. Les monstres de Halloween resteront dehors !

FIN

Si tu as envie de nous donner
tes impressions sur la série
ou nous parler de **tes propres voyages**
réels ou imaginaires,
n'hésite pas à nous écrire !

Bayard Éditions
Série Cabane Magique
18, rue Barbès
92128 Montrouge Cedex

N'oublie pas d'écrire
ton nom et ton adresse sur la lettre !